LARGE PRINT WORD SEARCH PUZZLE BOOK

Published by Alligator Products Limited

2nd Floor, 314 Regents Park Road, London N3 2JX

Printed in China.1626

PUZZLE 1

AT THE THEATRE

CIRCLE	POSTER	STAGE
CURTAIN	PROPS	STALLS
FOOTLIGHTS	SCENERY	THEATRE
GALLERY	SETS	TRAPDOOR
ORCHESTRA	SPOTLIGHT	WINGS

G	D	C	S	D	T	R	A	P	D	O	O	R	T	G
J	A	D	T	Y	H	U	J	R	T	G	Y	H	F	V
H	N	L	A	Z	A	Q	P	O	S	T	E	R	O	I
T	Y	H	L	M	J	K	J	P	N	H	J	M	O	I
G	H	H	L	E	R	F	V	S	X	C	S	D	T	Y
Y	H	E	S	D	R	T	S	C	D	E	P	L	L	K
Y	H	N	A	Z	X	Y	C	X	S	E	O	L	I	U
S	X	S	W	T	G	B	E	D	C	S	T	A	G	E
E	W	C	V	F	R	T	N	B	G	T	L	K	H	N
T	Y	I	U	H	B	E	E	D	C	F	I	U	T	Y
S	D	R	N	B	G	T	R	T	G	B	G	H	S	X
T	G	C	F	G	H	Y	Y	U	J	M	H	B	G	T
H	N	L	N	M	S	X	C	C	U	R	T	A	I	N
Y	H	E	T	G	B	H	N	J	M	J	H	G	T	Y
Y	O	R	C	H	E	S	T	R	A	T	G	Y	H	U

PUZZLE 2

BIRDWATCHING

BLACKBIRD	JACKDAW	ROBIN
DOVE	JAY	ROOK
EAGLE	KESTREL	SWIFT
FALCON	KINGFISHER	THRUSH
FINCH	RAVEN	WAGTAIL

R	K	I	N	G	F	I	S	H	E	R	T	J	H	G
M	O	I	J	N	D	T	G	B	H	N	J	M	A	Q
G	B	B	V	F	G	O	I	J	N	J	U	H	B	Y
B	H	N	I	I	U	H	V	B	R	A	V	E	N	B
L	K	E	D	N	B	G	T	E	D	C	T	G	Y	H
A	F	A	L	C	O	N	B	G	T	K	J	N	H	B
C	G	G	T	H	Y	W	S	X	D	D	C	V	T	Y
K	L	L	M	J	U	A	Z	A	Q	A	S	X	H	J
B	H	E	T	G	B	G	B	G	T	W	S	D	R	T
I	U	Y	K	E	S	T	R	E	L	K	M	H	U	I
R	T	G	Y	H	U	A	Z	S	X	D	C	V	S	X
D	C	R	T	G	B	I	U	H	B	Y	G	V	H	N
U	J	M	O	I	J	L	Y	H	N	J	M	J	H	G
T	G	B	V	O	I	J	N	S	W	I	F	T	Y	U
F	V	G	B	H	K	E	D	C	V	G	Y	H	B	N

PUZZLE 3

BISCUIT TIN

BISCUIT	COOKIE	GARIBALDI
BOURBON	CREAM CRACKER	GINGERNUT
BRANDY SNAP	CUSTARD CREAM	PRETZEL
CHEESE STRAW	DIGESTIVE	SHORTBREAD
CHOCOLATE	FLAPJACK	WAFER

S	C	R	E	A	M	C	R	A	C	K	E	R	N	C
H	Y	H	N	J	M	H	J	N	U	Y	T	O	I	U
O	I	I	U	C	V	O	I	U	J	H	B	B	V	S
R	T	D	C	V	O	C	V	F	R	R	T	R	T	T
T	Y	L	P	I	J	O	I	K	U	Y	H	A	Z	A
B	V	A	Z	R	T	L	K	O	I	F	G	N	B	R
R	T	B	V	F	E	A	B	I	U	L	K	D	F	D
E	D	I	G	E	S	T	I	V	E	A	S	Y	U	C
A	D	R	T	G	I	E	Z	X	S	P	L	S	D	R
D	C	A	X	U	W	A	F	E	R	J	H	N	B	E
H	N	G	C	R	F	V	G	B	L	A	S	A	Z	A
G	B	S	V	F	R	T	G	B	H	C	G	P	L	M
G	I	N	G	E	R	N	U	T	H	K	M	J	U	I
B	G	T	R	F	V	H	N	J	M	N	H	B	G	T
G	B	C	H	E	E	S	E	S	T	R	A	W	S	X

PUZZLE 4

BODY LANGUAGE

BONE	LUNG	STOMACH
BRAIN	MUSCLE	THROAT
HEART	NERVE	TONGUE
KIDNEY	SCALP	VEIN
LIVER	SPLEEN	WINDPIPE

G	B	H	E	A	R	T	Y	M	N	H	Y	U	J	M
Y	H	U	J	L	M	J	U	U	H	N	E	R	V	E
H	B	N	B	L	U	I	J	S	X	S	W	E	D	C
F	R	T	T	I	U	N	B	C	D	C	V	G	B	H
H	A	Z	A	V	C	X	G	L	M	J	H	N	W	S
K	I	D	N	E	Y	T	T	E	D	C	X	S	I	U
H	N	B	B	R	T	G	Y	H	V	E	I	N	N	B
S	D	S	P	L	E	E	N	B	G	H	N	J	D	C
C	T	G	B	Y	H	N	M	J	K	L	K	O	P	L
A	Z	T	Y	S	T	O	M	A	C	H	N	H	I	O
L	K	H	U	J	M	N	H	Y	T	G	B	G	P	L
P	L	R	B	U	J	M	N	H	Y	T	G	B	E	D
G	B	O	I	O	U	J	M	N	H	Y	T	G	B	G
D	C	A	Z	X	N	H	T	O	N	G	U	E	D	C
G	B	T	Y	H	N	E	D	C	V	G	B	H	N	J

PUZZLE 5

CAKE SHOP

BUN
CHOCOLATE
CREAM SLICE
CURRANT CAKE
ECLAIR
FAIRY CAKE
FRUIT CAKE
GATEAU
GINGERBREAD
JAM DOUGHNUT
MAID OF HONOUR
PARKIN
SIMNEL CAKE
SPONGE
SWISS ROLL

J A M D O U G H N U T Y H U J
G G B S X S D C R T G B H J N
J I U U P U H B E C L A I R T
J N B G N O I J U H F C D E W
H G C S I M N E L C A K E D C
Y E U Y G T F G B V I U H Y G
H R R T G B H N E D R T G B E
G B R P A R K I N B Y T G B K
H R A T G Y H U J I C C D E A
N E N H C H O C O L A T E D C
G A T E A U Y G H T K N J U T
H D C B G T Y H N H E C D E I
J M A I D O F H O N O U R T U
H N K J N S W I S S R O L L R
C R E A M S L I C E R F T G F

PUZZLE 6

CHINESE TAKE AWAY

BAMBOO SHOOTS	CHOW MEIN	SOY SAUCE
BEANSPROUTS	LICHEE	SPARE RIBS
BIRD'S NEST SOUP	NOODLES	SWEET AND SOUR
CHOP STICKS	PRAWN CRACKERS	TEA
CHOP SUEY	RICE	WATER CHESTNUTS

W	A	T	E	R	C	H	E	S	T	N	U	T	S	B
P	R	L	J	M	C	T	G	B	H	N	H	J	M	I
R	T	I	U	C	H	O	P	S	U	E	Y	T	G	R
A	S	C	C	V	O	I	I	C	V	G	B	H	S	D
W	D	H	N	E	P	K	M	H	G	B	N	J	W	S
N	B	E	A	N	S	P	R	O	U	T	S	D	E	N
C	D	E	T	G	T	G	E	W	Y	H	P	L	E	E
R	N	B	G	T	I	U	C	M	N	H	A	D	T	S
A	U	O	I	J	C	G	U	E	D	C	R	T	A	T
C	V	B	O	I	K	J	A	I	U	H	E	D	N	S
K	J	T	Y	D	S	C	S	N	B	G	R	T	D	O
E	D	C	E	T	L	J	Y	U	J	M	I	U	S	U
R	D	C	D	A	S	E	O	I	J	N	B	N	O	P
S	X	D	C	V	G	B	S	X	S	W	S	D	U	Y
B	B	A	M	B	O	O	S	H	O	O	T	S	R	T

PUZZLE 7

CHRISTMAS PARTY

BAUBLES	FOOD	MUSIC
CAKES	GIFTS	PARCELS
CHRISTMAS TREE	HOLLY	SANTA CLAUS
CRACKERS	MINCE PIES	STREAMERS
DECORATIONS	MISTLETOE	TRIFLE

M	Y	H	N	J	M	S	X	S	D	C	V	H	N	J
C	U	U	M	I	S	T	L	E	T	O	E	O	I	I
H	B	S	X	S	W	R	T	G	B	H	N	L	K	S
R	T	R	I	F	L	E	T	G	B	H	N	L	M	A
I	P	L	K	C	G	A	Z	A	Q	W	S	Y	H	N
S	D	A	C	D	E	M	B	A	U	B	L	E	S	T
T	Y	H	R	T	Y	E	D	C	M	N	H	J	M	A
M	N	D	E	C	O	R	A	T	I	O	N	S	X	C
A	Z	A	Q	R	E	S	T	G	N	M	J	H	N	L
S	X	S	W	A	D	L	M	N	C	H	G	B	G	A
T	Y	H	N	C	V	B	S	X	E	T	I	U	H	U
R	T	G	B	K	M	J	H	N	P	L	F	V	F	S
E	C	A	K	E	S	C	D	E	I	U	T	O	I	J
E	C	D	E	R	Y	H	U	J	E	D	S	D	O	I
Y	H	U	J	S	X	D	C	V	S	C	V	B	G	D

PUZZLE 8

CLOCK TOWER

ALARM	CUCKOO	QUARTZ
BIG BEN	DIGITAL	SPEAKING
CARRIAGE	GRANDFATHER	TIMER
CHURCH	GRANDMOTHER	WALL
CLOCK RADIO	KITCHEN CLOCK	WATCH

G	R	A	N	D	F	A	T	H	E	R	A	Z	A	Q
G	B	M	J	U	Y	H	N	B	G	T	L	K	M	C
G	B	I	U	H	B	W	W	X	S	W	A	Z	X	U
G	D	I	G	I	T	A	L	A	Z	S	R	T	G	C
Y	H	U	J	B	N	L	J	T	T	Y	M	S	X	K
C	D	F	V	G	E	L	K	I	U	C	V	P	L	O
G	H	G	G	R	A	N	D	M	O	T	H	E	R	O
Y	H	U	Y	G	T	F	R	E	C	D	E	A	Z	S
C	D	E	R	T	G	Y	H	R	T	G	B	K	M	J
Q	Z	A	Q	C	L	O	C	K	R	A	D	I	O	L
I	U	Y	H	N	H	M	J	U	I	K	J	N	H	G
T	G	A	Z	A	Q	C	A	R	R	I	A	G	E	T
Y	H	N	R	T	G	B	Y	H	N	J	M	K	J	U
N	B	K	I	T	C	H	E	N	C	L	O	C	K	J
Y	H	N	J	M	Z	Q	A	Z	W	S	X	C	V	G

PUZZLE 9

COLOUR CHART

DARK GREEN	PINK	SKY BLUE
JET BLACK	RED	TANGERINE
LAVENDER	ROSE	TURQUOISE
LEMON	RUST	VIOLET
PEARL GREY	SCARLET	YELLOW

G	T	A	N	G	E	R	I	N	E	T	G	B	P	L
T	P	U	J	M	N	H	L	M	J	N	H	B	E	D
U	V	I	O	L	E	T	A	S	R	T	G	B	A	Z
R	T	G	N	N	H	Y	V	B	N	E	D	C	R	T
Q	D	A	R	K	G	R	E	E	N	B	D	G	L	K
U	Y	G	V	F	T	G	N	H	B	G	Y	U	G	H
O	I	Y	T	G	B	J	D	C	D	S	X	C	R	T
I	L	E	M	O	N	B	E	D	C	C	V	G	E	W
S	X	L	M	J	N	H	R	T	Y	A	Z	X	Y	G
E	D	L	M	J	U	Y	H	N	B	R	T	G	B	G
Y	H	O	I	J	R	O	S	E	D	L	M	J	N	H
U	J	W	T	Y	H	N	H	Y	T	E	A	Z	S	X
H	N	S	E	D	C	F	V	G	B	T	Y	C	D	X
N	U	S	K	Y	B	L	U	E	D	C	F	V	K	J
R	T	G	Y	H	U	J	H	Y	G	T	F	B	N	J

PUZZLE 10

COUNTRY WALK

BRIDLEWAY	GATE	PATHS
DITCH	HEDGE	POND
FIELD	LAKE	STILE
FLOWERS	LANE	TREES
FOOTPATH	MEADOW	VERGE

G	F	L	O	W	E	R	S	T	G	B	H	N	J	N
G	Y	H	N	B	G	T	T	F	I	E	L	D	C	F
B	A	Z	A	S	E	R	R	T	G	B	P	L	K	O
Y	H	T	Y	G	T	F	E	C	D	E	A	S	D	O
J	L	K	E	D	S	X	E	R	F	V	T	Y	H	T
J	A	Z	S	E	T	Y	S	X	S	W	H	G	B	P
J	N	B	H	U	I	U	H	Y	G	T	S	D	C	A
Y	E	C	D	E	L	Y	H	N	J	M	J	U	I	T
P	O	N	D	C	E	D	C	V	E	R	G	E	T	H
Y	H	N	M	J	H	G	T	R	H	Y	H	N	B	G
H	H	G	M	E	A	D	O	W	S	E	D	C	V	G
J	C	V	F	R	T	Y	L	M	J	U	D	C	D	E
H	T	Y	H	N	H	G	A	Z	S	X	D	G	H	N
G	I	U	H	Y	G	H	K	M	H	N	J	U	E	D
G	D	B	R	I	D	L	E	W	A	Y	T	G	Y	H

PUZZLE 11

CREEPY CRAWLIES

CATERPILLAR	MIDGE	SNAIL
CENTIPEDE	MITE	SPIDER
FLY	MOTH	WASP
LADYBIRD	NIT	WEEVIL
LOUSE	SLUG	WORM

```
R F T G C T G B H N H Y U M N
B C A T E R P I L L A R T I U
G F V F N Y H N J M K H J T Y
G B L N T S X S D C T G B E D
T G B Y I U L M N O I J U H Y
H L N B P U J U M N H Y S X D
T O I J E C D E G T G B P K I
H U L A D Y B I R D C D I U U
G S X S E W S X D C F V D C V
H E T G B G A S N A I L E D C
M I D G E D C S X D C V R T T
T G B T Y H U J P L W S X D C
Y H I U H B Y G V B H O I J N
J N M J U W E E V I L U R T G
R F T G Y H N H M K J H G M N
```

PUZZLE 12

CROPS

BALE	FIELDS	SEEDS
BARLEY	GRAIN	SHEAF
CEREALS	HAY	SOWING
CORN	MAIZE	STRAW
CROPS	OATS	WHEAT

T	G	B	O	I	J	U	H	F	V	G	B	H	N	J
H	S	X	S	A	X	S	W	I	U	H	Y	G	T	F
S	D	O	I	J	T	Y	G	E	R	M	A	I	Z	E
E	D	Z	W	S	X	S	D	L	U	J	M	N	H	Y
E	D	C	V	I	U	H	B	D	C	V	G	T	C	V
D	X	C	C	V	N	H	S	S	D	C	F	V	R	T
S	D	G	E	T	Y	G	T	Y	H	N	U	J	O	I
H	G	B	R	T	G	B	R	W	H	E	A	T	P	L
J	A	D	E	R	F	V	A	Z	S	X	D	C	S	D
U	J	Y	A	Z	S	X	W	D	S	Y	H	U	J	H
Y	G	V	L	M	B	A	L	E	H	Y	G	T	F	D
Y	H	N	S	X	D	C	F	V	E	C	O	R	N	M
Y	H	N	U	J	M	N	H	B	A	Z	S	X	C	V
B	A	R	L	E	Y	U	J	M	F	V	F	R	T	G
U	J	M	N	H	B	H	N	J	H	G	R	A	I	N

PUZZLE 13

ENTERTAINMENT

BALLET	DANCING	ORCHESTRA
CINEMA	DRAMA	PANTOMIME
COMEDY	MIMES	PLAY
CIRCUS	MUSICAL	SHOW
CONCERT	OPERA	THEATRE

P	L	B	A	L	L	E	T	C	V	F	R	T	G	B
H	L	M	J	U	Y	H	N	O	C	I	R	C	U	S
G	B	A	Z	A	C	F	V	M	N	H	J	H	I	O
C	G	F	Y	U	I	O	K	E	D	C	M	I	M	E
O	I	J	U	H	N	H	B	D	C	V	G	B	P	L
N	S	H	O	W	E	D	C	Y	H	N	J	M	A	Z
C	D	V	G	B	M	D	A	N	C	I	N	G	N	B
E	D	C	V	G	A	Z	S	X	C	M	N	J	T	Y
R	T	H	E	A	T	R	E	D	C	U	I	J	O	L
T	T	G	B	A	Z	S	X	D	C	S	X	C	M	N
T	G	B	M	N	O	I	J	M	H	I	U	J	I	U
Y	H	A	Z	S	X	P	I	J	N	C	V	G	M	J
H	R	T	G	B	G	M	E	D	C	A	Z	X	E	S
D	O	R	C	H	E	S	T	R	A	L	M	J	N	H
R	T	D	C	S	X	S	D	C	A	Z	S	X	D	C

PUZZLE 14

FARM FIND

ANIMALS	FLOCK	PLOUGH
CHURNS	GRASS	POULTRY
COWSHED	HARVEST	SILAGE
DAIRY	HERD	SPRAY
FARMER	ORCHARD	THRESH

G	H	A	R	V	E	S	T	Y	O	I	J	U	H	P
A	R	F	V	T	G	B	H	N	R	E	D	C	X	L
N	B	C	T	G	B	V	C	D	C	X	S	D	E	O
I	U	Y	H	G	B	H	N	T	H	R	E	S	H	U
M	N	C	V	U	Y	H	U	J	A	Z	S	X	D	G
A	S	O	F	A	R	M	E	R	R	T	G	Y	H	H
L	K	W	S	X	S	N	B	H	D	Y	H	U	J	H
S	D	S	X	S	D	C	S	R	S	I	L	A	G	E
H	N	H	J	G	R	A	S	S	T	G	Y	H	U	J
U	J	E	Y	H	N	M	J	H	N	H	Y	S	X	C
H	N	D	C	D	F	G	H	U	J	I	K	P	L	K
U	J	Y	H	T	L	M	N	E	C	D	E	R	T	Y
D	A	I	R	Y	O	I	J	N	R	D	C	A	Z	S
T	G	Y	H	D	C	V	F	G	B	D	T	Y	U	U
F	V	G	B	H	K	J	P	O	U	L	T	R	Y	B

PUZZLE 15

FILM SET

ACTOR	FOCUS	SCENE
ACTRESS	PART	SCRIPT
DIRECTOR	PLAYERS	SCREEN
DRAMA	PLOT	STAR
FILM	REMAKE	ZOOM

Y	H	N	D	C	V	G	B	F	V	G	P	O	K	M
H	A	Z	S	R	T	G	B	I	U	J	M	A	Z	S
A	C	T	O	R	A	S	D	L	K	P	O	K	R	T
U	T	Y	H	N	H	M	N	M	N	H	L	K	I	T
H	R	T	G	B	H	G	A	D	P	O	I	O	I	U
N	E	H	F	O	C	U	S	X	L	M	J	U	T	Y
J	S	X	S	W	Z	Q	A	Z	A	S	D	C	F	V
H	S	X	S	S	D	O	I	R	Y	S	C	E	N	E
Y	H	U	J	T	Y	H	O	I	E	D	C	V	G	B
S	C	D	E	A	Z	A	Q	M	R	M	U	H	U	Y
C	V	F	R	R	Y	H	U	J	S	G	A	I	J	N
R	T	S	C	R	E	E	N	B	H	N	J	K	M	L
I	U	H	Y	G	B	H	N	J	M	N	V	T	E	S
P	L	K	D	I	R	E	C	T	O	R	T	G	Y	H
T	G	Y	H	U	J	H	N	B	G	T	R	E	D	C

PUZZLE 16

FLOWER BOUQUET

CARNATION	IRIS	ORCHID
CHRYSANTHEMUM	JASMINE	PANSY
DAFFODIL	LILY	PEONY
DAHLIA	LUPIN	ROSE
FREESIA	NARCISSUS	TULIP

```
C G D R Y H N M J U H Y H T G
A S A X O I J U H Y G G T Y H
R C H R Y S A N T H E M U M N
N H L M J U E T G Y H N L M J
A D I U F G P E O N Y U I U H
T G A Z R T G Y H L K M P L M
I U H B E C D E I Y U J H N M
O I J N E D C L N H Y S G A A
N M J A S M I N E O I U H R T
Y H U J I P J N B R T G B C D
R F T G A D I U I C B G T I U
Y H N N B P M J U H N H Y S A
U J S X U Y G T F I U H B S W
J Y U L N H Y T G D C D E U Y
T G B D A F F O D I L U H S X
```

PUZZLE 17

FOREIGN CURRENCY

CENTIME	FRANC	PESETA
DINAR	KOPECK	PFENNIG
DOLLAR	LIRA	POUND
DRACHMA	MARK	ROUBLE
ESCUDO	PENCE	RUPEE

```
Y H F R A N C R F V G B G T Y
H C X S L K M R O U B L E T G
N E T G I Y H N B G T Y H D P
H N B G R Y H N M J H N N H F
H T D C A U Y H N B H U Y H E
N I U O I J P N H Y O I J N N
J M N D L V G E D P U H Y G N
N E D R T L N H E D C F V G I
D I N A R T A Z S E P P I O G
Y H N C N H Y R T G B E C D E
N H Y H T K O P E C K S N H B
Y H N M B G H N M J N E D C S
T G B A Z A Q W A S X T Y H E
N E S C U D O I R T G A Z A Q
Y H U J M N H J K Y H N B G T
```

PUZZLE 18

GAME PLAN

BINGO	DOMINOES	MARBLES
BRAG	DONKEY	MONOPOLY
CHARADES	DRAUGHTS	POOL
CHESS	LUDO	SOLITAIRE
DARTS	LOTTO	TIDDLYWINKS

H	T	I	D	D	L	Y	W	I	N	K	S	L	M	N
S	Y	H	N	B	G	T	R	F	V	C	D	O	I	U
O	I	P	O	M	O	N	O	P	O	L	Y	T	G	B
L	K	J	O	I	J	M	N	H	G	B	V	T	Y	U
I	U	H	B	O	I	A	Z	A	S	X	I	O	U	Y
T	G	B	D	O	L	R	T	C	X	D	F	V	G	B
A	Z	U	Y	H	N	B	C	H	A	R	A	D	E	S
I	L	K	J	O	I	L	H	E	D	A	S	R	T	G
R	D	C	G	B	G	E	D	S	D	U	I	O	T	Y
E	D	N	B	H	U	S	D	S	X	G	B	G	T	S
N	I	U	J	M	N	H	Y	T	G	H	N	H	G	B
B	N	D	O	N	K	E	Y	T	G	T	Y	H	N	G
Y	H	N	B	G	T	Y	H	N	H	S	X	D	A	A
Y	H	N	D	O	M	I	N	O	E	S	D	R	D	C
Y	H	N	B	G	H	G	Y	T	R	D	B	V	F	R

PUZZLE 19

HOLIDAY TIME

CAMERA	LUGGAGE	SOUVENIRS
COACH	PASSPORT	SUN
CRUISE	SAND	SWIMMING POOL
GUIDE BOOK	SEA	SWIMSUIT
HOTEL	SIGHTSEEING	TICKET

U	J	T	Y	H	N	M	J	H	N	H	Y	T	S	X
T	G	I	C	V	F	G	U	I	D	E	B	O	O	K
H	N	C	V	O	I	J	U	H	S	X	S	W	U	Y
S	D	K	M	J	A	Z	S	C	G	A	Z	S	V	G
I	U	E	R	F	T	C	G	A	S	X	N	J	E	D
G	H	T	Y	H	C	V	H	M	N	L	K	D	N	J
H	O	T	E	L	R	T	G	E	Y	U	I	J	I	I
T	Y	H	N	B	U	Y	H	R	T	G	B	G	R	Y
S	X	D	C	V	I	U	U	A	D	G	H	N	S	X
E	S	W	I	M	S	U	I	T	Y	A	G	S	U	J
E	S	C	D	E	E	T	G	Y	H	G	H	N	E	T
I	U	U	Y	H	N	J	M	J	H	E	D	C	V	A
N	H	J	N	B	G	P	A	S	S	P	O	R	T	Y
G	T	G	B	Y	H	N	M	N	H	Y	U	J	I	O
G	B	S	W	I	M	M	I	N	G	P	O	O	L	K

PUZZLE 20

IMPORTANT LADIES

BARONESS
COUNTESS
DAME
DUCHESS
EMPRESS
HEADMISTRESS
LADY
MARCHIONESS
NOBLEWOMAN
ROYAL
QUEEN MOTHER
QUEENS
PRINCESS
TSARINA
VISCOUNTESS

Q	A	Z	D	M	A	R	C	H	I	O	N	E	S	S
J	U	Y	A	Z	X	R	T	G	Y	H	D	C	D	E
H	G	E	M	N	H	Y	O	I	J	N	U	Y	H	N
E	D	C	E	T	G	Y	H	Y	G	B	C	G	H	O
A	C	O	U	N	T	E	S	S	A	D	H	B	G	B
D	C	V	G	B	S	X	D	C	V	L	E	U	J	L
M	N	T	Y	P	R	I	N	C	E	S	S	D	E	E
I	U	S	Y	H	N	B	G	T	L	K	S	X	S	W
S	B	A	R	O	N	E	S	S	A	Z	S	X	D	O
T	Y	R	T	G	B	N	H	Y	D	C	V	G	B	M
R	T	I	U	H	Y	G	T	G	Y	T	G	H	J	A
E	D	N	B	H	U	E	M	P	R	E	S	S	V	N
S	X	A	T	G	Y	H	U	J	M	N	H	B	G	F
S	C	D	E	Q	U	E	E	N	M	O	T	H	E	R
B	V	I	S	C	O	U	N	T	E	S	S	T	G	B

PUZZLE 21

IN THE WARDROBE

APRON	DUNGAREES	OVERCOAT
BERET	FUR	PULLOVER
BLOUSE	JERSEY	SARI
BRACES	KIMONO	SKIRT
CLOAK	MITTENS	VEST

H	B	E	R	E	T	Y	A	Z	A	Q	S	X	S	W
O	I	J	U	H	Y	G	P	M	K	J	N	A	Z	S
V	B	D	U	N	G	A	R	E	E	S	D	C	R	T
E	Y	H	N	B	G	T	O	I	B	N	H	Y	T	I
R	D	C	C	B	G	T	N	B	L	M	J	F	G	H
C	P	U	L	L	O	V	E	R	O	I	J	N	U	Y
O	I	I	O	I	V	C	D	E	U	Y	H	K	L	R
A	Z	S	A	D	S	E	T	G	S	X	D	I	U	J
T	H	J	K	J	K	N	S	J	E	D	C	M	N	J
U	J	M	N	H	I	B	N	T	E	D	C	O	I	U
Y	H	N	J	M	R	D	C	V	G	R	T	N	B	H
Y	H	U	J	A	T	G	B	H	N	J	S	O	I	J
T	G	B	C	X	D	E	R	D	C	V	G	E	D	S
J	N	E	D	C	M	I	T	T	E	N	S	X	Y	U
H	S	X	D	C	V	G	B	H	Y	U	J	H	N	B

PUZZLE 22

INTO SPACE

ASTRONOMY	METEOR	SOLAR SYSTEM
CAPSULE	MISSION	SPACEMAN
COSMOS	MOON	SPACESUIT
ECLIPSE	PLANET	STAR
LAUNCH	ROCKET	UNIVERSE

S	X	S	W	E	E	T	G	B	N	H	Y	T	G	B
P	L	S	P	A	C	E	S	U	I	T	Y	H	N	H
A	S	X	S	W	L	A	S	T	R	O	N	O	M	Y
C	G	T	C	G	I	U	H	Y	G	H	B	N	J	U
E	D	C	A	S	P	I	P	L	A	N	E	T	Y	H
M	U	I	P	R	S	T	T	B	Y	H	N	H	G	B
A	N	H	S	D	E	R	F	T	G	M	N	H	Y	N
N	I	U	U	C	O	S	M	O	S	E	X	C	O	L
N	V	C	L	U	J	M	R	D	C	T	Y	O	M	N
B	E	D	E	R	D	X	O	I	U	E	M	N	I	O
H	R	T	G	Y	H	U	C	V	G	O	I	U	S	Z
H	S	X	S	W	E	D	K	M	J	R	T	G	S	Z
B	E	T	G	B	G	H	E	T	G	Y	H	J	I	J
L	A	U	N	C	H	B	T	Y	H	N	H	G	O	M
H	S	O	L	A	R	S	Y	S	T	E	M	N	N	N

PUZZLE 23

JUST GIRLS

AGNES	CHARLOTTE	GEMMA
AMANDA	DAWN	GWYNETH
ANNA	DIANE	IVY
BARBARA	EDNA	JANE
BRIDGET	ELIZABETH	JENNIFER

```
R F V T G B Y H N J H G B G T
N E L I Z A B E T H Y W X S W
C G J N H Y D C D E R Y H N J
H G A A Z A A T G A G N E S D
A S N B N H W X S W E E T G B
R D N B H E N B H J M T Y H N
L K A A M A N D A Z D H Y R R
O I B U J M N H I U H Y G E E
T Y H A Z A Q I U A U J M F H
T Y H N R G B V B N N H J I U
E D C V G B N Y U H B E D N B
J D C D E R A S G E M M A N J
U J N B G H N R T G Y H J E S
Y H N A Z S X D A C G V B J K
N B R I D G E T Y H U J H G F
```

PUZZLE 24

LOTS OF BOXES

CARDBOARD
CHOCOLATE
COLLECTING
COOL
LETTER
MATCH
MONEY
PACKED LUNCH
PAINT
SAFE DEPOSIT
SANDWICH
STRONG
TOOL
TUCK
WINDOW

T	G	B	C	Y	H	U	J	R	T	Y	H	U	J	M
C	H	O	C	O	L	A	T	E	H	U	Y	G	V	O
A	Z	S	X	D	O	I	U	T	Y	H	C	V	B	N
R	D	S	T	G	B	L	E	T	T	E	R	K	H	E
D	C	A	T	G	Y	H	H	X	V	G	S	D	C	Y
B	N	F	V	F	C	O	L	L	E	C	T	I	N	G
O	I	E	M	U	J	M	N	H	Y	T	R	T	U	Y
A	D	D	S	A	N	D	W	I	C	H	O	I	L	L
R	T	E	Y	Y	T	Y	H	U	J	U	N	H	D	D
D	C	P	L	K	P	C	Y	H	U	J	G	H	E	W
N	M	O	I	J	N	A	H	Y	G	T	F	G	K	M
F	V	S	X	S	W	W	I	N	D	O	W	S	C	V
Y	H	I	U	H	Y	G	F	N	B	H	G	Y	A	A
G	B	T	O	O	L	K	J	H	T	Y	H	N	P	P
D	C	F	V	G	B	H	N	J	N	H	Y	T	F	Q

PUZZLE 25

MATHS MAZE

ADD	MULTIPLY	SIGN
AREA	NUMBER	SOLID
CENTRE	PLUS	SPHERE
DIVIDE	POINT	SUBTRACT
HEIGHT	PYRAMID	UNIT

T	G	B	H	A	R	F	T	G	C	V	G	B	H	Y
S	U	B	T	R	A	C	T	Y	P	E	D	C	F	N
P	L	M	K	E	D	C	F	V	Y	H	N	M	M	U
H	J	A	Z	A	S	M	N	J	R	T	G	T	Y	M
E	D	S	D	C	V	U	Y	H	A	Z	S	E	R	B
R	T	G	B	D	G	L	M	N	M	N	H	J	M	E
E	D	C	F	V	G	T	Y	H	I	U	J	Y	H	R
T	G	B	Y	H	N	I	U	U	D	I	V	I	D	E
U	Y	H	T	G	T	P	Y	H	T	G	R	F	V	G
B	N	V	F	R	P	L	U	S	X	P	U	H	Y	G
N	B	I	U	H	G	Y	U	O	I	I	O	I	J	N
T	G	B	T	Y	H	U	J	L	M	J	U	I	U	U
R	F	V	T	G	B	H	E	I	G	H	T	Y	N	M
H	S	I	G	N	B	H	U	D	C	D	F	V	G	T
Y	H	U	J	H	Y	T	G	F	V	G	B	H	N	J

NAME GAME

ANGUS	GERALD	NIGEL
BERNARD	JAMES	OSCAR
COLIN	KEITH	PAUL
DESMOND	LESLIE	SAMUEL
FREDERICK	MALCOLM	THOMAS

B	H	U	I	K	O	L	M	K	E	W	R	L	O	B
E	A	N	G	U	S	R	O	E	T	Y	U	P	L	E
J	O	L	L	Y	T	I	F	I	S	A	W	E	T	R
P	O	N	E	A	M	G	O	T	P	B	G	O	P	N
I	D	F	C	S	A	W	E	H	B	F	P	L	U	A
Z	E	Q	U	E	L	C	O	F	E	R	E	N	U	R
I	S	V	O	P	C	I	J	U	G	E	H	I	T	D
A	M	M	O	N	O	R	E	T	Y	D	U	G	H	A
C	O	L	I	N	L	S	T	H	E	E	R	E	J	O
E	N	T	O	P	M	I	C	G	E	R	A	L	D	O
I	D	A	H	W	R	T	Y	A	W	I	P	O	L	T
Q	U	E	N	O	T	G	H	Y	R	C	E	U	J	I
B	U	J	I	L	M	V	F	C	D	K	T	H	U	I
S	J	A	M	E	S	A	F	Y	T	G	I	K	P	L
G	U	Y	J	M	O	L	S	C	S	A	M	U	E	L

PUZZLE 27

ON THE BEACH

BALL	KITE	SANDS
BUCKET	PADDLING	SANDCASTLE
DECKCHAIRS	PEBBLES	SEAGULLS
DONKEY RIDES	PROMENADE	SHELLS
ICE CREAM	ROCK	SPADE

T	G	B	H	N	S	E	A	G	U	L	L	S	D	C
F	S	X	S	W	H	G	S	T	G	B	H	N	O	I
N	P	R	O	M	E	N	A	D	E	T	G	B	N	M
H	A	W	S	X	L	K	N	Y	H	N	J	M	K	J
G	D	C	D	E	L	K	D	C	D	E	P	L	E	R
H	E	R	M	N	S	D	S	T	G	B	A	D	Y	U
B	G	G	A	R	F	V	T	G	B	H	D	G	R	T
U	Y	P	E	B	B	L	E	S	D	A	D	T	I	U
C	V	B	R	T	G	B	H	N	J	M	L	M	D	D
K	J	N	C	T	G	B	Y	H	N	E	I	L	E	D
E	T	T	E	D	C	K	J	I	T	Y	N	H	S	X
T	D	E	C	K	C	H	A	I	R	S	G	B	G	T
T	G	B	I	O	U	H	K	Y	H	N	B	G	H	N
H	N	J	R	Y	H	U	J	M	N	H	B	G	Y	L
S	A	N	D	C	A	S	T	L	E	Y	H	N	J	M

PUZZLE 28

OUT SHOPPING

ARCADE	DELICATESSEN	PHARMACY
BANK	FISH AND CHIP SHOP	POST OFFICE
BAZAAR	GARAGE	STORE
BOUTIQUE	KIOSK	SUPERMARKET
BUTCHER'S	PET SHOP	TRAVEL AGENT

P	L	M	K	G	A	T	G	B	V	F	G	H	P	P
H	B	A	Z	A	A	R	T	P	E	T	S	H	O	P
A	Z	A	Q	R	V	G	C	T	G	B	H	N	S	X
R	D	B	N	A	Z	A	Q	A	C	D	V	G	T	Y
M	N	O	I	G	T	Y	H	N	D	C	D	E	O	I
A	S	U	P	E	R	M	A	R	K	E	T	Y	F	G
C	V	T	Y	H	A	T	G	N	Y	H	N	H	F	G
Y	U	I	O	K	V	R	A	V	T	G	B	G	I	I
T	G	Q	A	Z	E	B	C	S	C	V	G	B	C	X
G	B	U	D	E	L	I	C	A	T	E	S	S	E	N
U	J	E	D	K	A	Y	H	U	J	O	I	J	U	H
U	J	M	S	D	G	T	G	Y	H	U	R	T	G	B
Y	H	O	I	J	E	D	B	U	T	C	H	E	R	S
F	I	S	H	A	N	D	C	H	I	P	S	H	O	P
K	J	M	N	H	T	Y	H	N	U	J	M	N	H	J

PUZZLE 29

PANTO TIME

ALADDIN	FAIRY	PETER PAN
CAPTAIN HOOK	GIANT	PUSS IN BOOTS
CINDERELLA	GOLDILOCKS	RED RIDING HOOD
DAME	MOTHER GOOSE	ROBIN HOOD
DICK WHITTINGTON	OLD KING COLE	THREE BEARS

R	E	D	R	I	D	I	N	G	H	O	O	D	F	D
T	Y	R	T	G	Y	H	F	V	B	G	H	N	J	I
H	G	O	I	J	U	H	A	Z	A	Q	M	N	J	C
R	T	B	P	U	S	S	I	N	B	O	O	T	S	K
E	R	I	U	H	Y	G	R	A	T	G	T	C	V	W
E	G	N	B	H	C	G	Y	L	M	N	H	A	Z	H
B	O	H	N	H	I	U	H	A	S	I	E	P	L	I
E	L	O	C	G	N	I	K	D	L	O	R	T	G	T
A	D	O	I	J	D	C	V	D	C	G	G	A	Z	T
R	I	D	C	C	E	G	T	I	U	E	O	I	O	I
S	L	M	J	U	R	T	I	N	M	J	O	N	H	N
M	O	P	E	T	E	R	P	A	N	H	S	H	H	G
B	C	V	G	Y	L	K	D	C	N	H	E	O	I	T
L	K	N	H	Y	L	K	M	J	N	T	Y	O	I	O
H	S	X	S	W	A	Z	S	X	D	C	V	K	J	N

PUZZLE 30

PHOTO CALL

DEVELOPING	LENS	SHUTTER
EXPOSURE	NEGATIVE	SLIDE
FILMS	PORTRAIT	SNAP
FOCUS	PRINT	VIEWFINDER
FRAME	SHOT	ZOOM

V	B	G	F	V	F	R	T	G	B	H	N	H	Y	D
I	F	V	F	I	U	H	N	F	V	F	R	T	G	E
E	R	O	I	S	L	M	J	F	V	F	R	T	G	V
W	S	X	C	H	Y	M	E	R	T	G	Y	H	J	E
F	C	D	E	U	Y	Y	S	A	X	S	D	C	V	L
I	U	H	B	T	S	X	C	M	P	U	J	Y	H	O
N	B	G	T	T	T	G	B	E	T	R	Y	H	N	P
D	C	D	E	E	T	G	B	V	G	H	I	U	U	I
E	S	P	O	R	T	R	A	I	T	Y	H	N	M	N
R	S	D	C	D	M	K	L	I	J	U	H	J	T	G
N	L	M	J	O	I	J	N	E	D	D	S	X	S	W
U	I	U	O	I	J	I	U	H	N	H	H	J	H	G
C	D	Z	W	S	X	S	N	A	P	S	O	I	J	N
N	E	G	A	T	I	V	E	T	G	B	T	Y	H	N
T	G	B	Y	H	N	E	X	P	O	S	U	R	E	T

PUZZLE 31

PONY CLUB

BLACKSMITH	GIRTH	REINS
BOX	HAY	ROSETTE
CANTER	HOOF	SADDLE
FIELD	MARE	STABLE
FOAL	OATS	STIRRUPS

U	J	S	W	S	X	D	C	O	I	J	N	H	B	G
B	G	V	T	Y	H	N	H	A	D	S	E	D	C	I
L	O	K	M	A	Z	A	Q	T	F	T	Y	H	N	R
A	D	X	W	S	B	G	H	S	D	I	U	H	B	T
C	A	N	T	E	R	L	M	J	U	R	E	T	G	H
K	J	N	H	B	O	I	E	D	C	R	T	L	N	B
S	X	D	C	V	S	D	C	G	V	U	H	Y	D	C
M	N	J	S	X	E	D	C	F	V	P	L	O	J	M
I	U	H	A	D	T	A	I	R	Y	S	X	X	O	I
T	G	B	D	G	T	Y	H	U	H	Y	G	T	F	F
H	G	B	D	R	E	T	F	G	B	H	N	J	M	J
Y	H	N	L	Y	H	U	J	M	N	R	E	I	N	S
T	G	B	E	D	H	T	G	B	A	Z	S	X	D	C
H	F	O	A	L	M	A	Q	A	Z	R	T	G	Y	H
T	G	Y	H	U	J	H	Y	T	G	B	E	D	C	V

PUZZLE 32

RIVERS WORLDWIDE

CONGO	MISSISSIPPI	SACRAMENTO
EUPHRATES	MURRAY DARLING	SEINE
HUDSON	ORINOCO	TIGRIS
JORDAN	RHINE	YANGTZE
LOIRE	RIO DE LA PLATA	ZAMBESI

M	U	R	R	A	Y	D	A	R	L	I	N	G	T	G
C	E	D	C	H	G	B	L	I	J	T	Y	H	N	Y
M	O	I	J	U	U	H	B	O	I	I	U	J	M	A
I	U	N	H	D	C	D	E	D	I	G	T	G	B	N
S	X	D	G	S	R	F	V	E	T	R	Y	H	N	G
S	X	S	W	O	U	U	N	L	H	I	E	D	C	T
I	R	H	I	N	E	I	U	A	D	S	X	S	W	Z
S	X	D	C	V	E	D	D	P	L	K	O	I	O	E
S	X	S	W	S	R	F	V	L	S	Y	H	N	R	T
I	J	H	E	U	P	H	R	A	T	E	S	G	I	U
P	K	O	U	J	Y	H	N	T	G	B	H	N	N	M
P	M	N	R	S	A	C	R	A	M	E	N	T	O	I
I	I	J	N	D	T	G	B	H	N	H	B	G	C	D
T	G	B	H	N	A	R	F	V	T	G	B	G	O	I
U	J	M	N	H	Y	N	J	Z	A	M	B	E	S	I

PUZZLE 33

SANDWICHES

BACON	CORNED BEEF	SALMON
BRIE	EGG	SALT BEEF
CHEDDAR	HAM	SARDINE
CHEESE	PRAWN	SPAM
CHICKEN	SALAD	TUNA

```
T G B C H E E S E R E T G Y H
J S D O I J U H Y G F G B G T
H A D R T G B P L K O I G H H
H L M N B G T R T G B T G H Y
H T Y E C D E A C H E D D A R
H B G D C D E W T G B Y H N H
J E D B A C O N Y H N B G T Y
T E G E Y Y S S X S W H A M N
N F V E T S A L A D C D E D C
Y H N F V B L K M R T G Y H U
H S X S D C M N H Y D C F V G
T Y P Y H N O I B V F I U J M
U Y Y A Z S N H R T G B N H H
N M J U M N C H I C K E N E W
A Z S X D C G B E T G B Y H N
```

PUZZLE 34

SCHOOL STAFF

ASSISTANT	HEADMISTRESS	SCHOLAR
CARETAKER	LECTURER	SECRETARY
COOK	PREFECT	STUDENT
DINNER LADIES	PRINCIPAL	TEACHER
HEADMASTER	PUPILS	TUTOR

```
H T G B Y H N H T E A C H E R
E T G B H Y H N M J H N O I I
A N P R E F E C T T Y H N O I
D E D C A Z S X D N N H Y C K
M D I U D E D C D A T Y H A A
I U N M M J L E C T U R E R T
S T N H A Z S X C S T Y H E E
T S E D S D C V G I O U S T Y
R T R Y T I P I J S R T C A T
E D L K E D C U Y S X C H K L
S X A D R T G B P A Z X O E D
S D D T P R I N C I P A L R T
F V I U H B Y G V B L K A Z X
H S E C R E T A R Y U S R T G
G B S Y H N B G T Y H U J I K
```

PUZZLE 35

SEA VOYAGE

ABROAD	LINER	ROUTE
CROSSING	LUGGAGE	SAILING
CRUISE	MAP	SHIP
CUSTOMS	OVERSEAS	TRIP
EMBARK	PASSAGE	VOYAGE

Y	H	C	U	S	T	O	M	S	W	S	D	C	A	Q
G	B	R	T	G	B	Y	H	A	S	X	D	C	B	N
J	M	O	I	J	U	H	U	I	E	M	B	A	R	K
U	J	S	R	F	T	G	L	L	U	J	Y	H	O	I
H	J	S	H	I	P	I	J	I	U	H	Y	G	A	A
U	J	I	U	H	A	D	G	N	N	B	G	T	D	C
H	N	N	J	M	S	D	C	G	H	E	Y	H	U	J
M	N	G	T	G	S	V	G	L	K	M	R	T	G	B
T	A	W	S	X	A	D	O	I	U	Y	H	U	J	E
H	N	P	J	M	G	B	V	Y	H	G	T	G	S	D
T	Y	H	U	J	E	C	D	E	A	D	G	I	U	J
N	R	O	U	T	E	Y	H	U	J	G	U	A	Z	X
Y	H	I	U	H	B	Y	G	V	B	R	E	T	G	H
Y	H	N	P	Y	H	U	J	I	C	G	B	H	N	E
Y	H	O	V	E	R	S	E	A	S	D	C	F	V	G

PUZZLE 36

SNOOKERED

CHAMPION	PLANT	SHOT
CLEARANCE	PLAYER	SNOOKERED
FINAL	POINTS	SPIDER
MAXIMUM	REFEREE	STROKE
MATCH	SCORE	TABLE

T	G	B	Y	H	N	J	M	N	H	P	L	K	M	N
S	P	O	I	N	T	S	R	F	V	L	K	M	A	Z
N	B	T	Y	H	N	U	J	S	D	A	C	V	X	S
O	I	J	A	Z	S	X	D	T	R	Y	C	G	I	U
O	S	X	D	B	T	G	B	R	T	E	L	K	M	N
K	N	C	G	B	L	K	M	O	I	R	E	T	U	Y
E	D	C	O	I	J	E	G	K	J	M	A	D	M	N
R	T	G	B	R	D	C	R	E	F	E	R	E	E	D
E	D	C	V	B	E	T	S	X	S	W	A	Z	A	Q
D	C	D	E	C	H	A	M	P	I	O	N	M	J	U
F	V	G	B	H	T	Y	A	D	I	U	C	V	F	R
B	I	U	J	N	M	J	T	G	B	D	E	R	F	V
F	V	N	A	Z	A	Q	C	R	F	V	E	T	G	B
G	B	L	A	Z	X	S	H	O	T	Y	H	R	T	G
N	P	Y	H	L	Y	H	N	U	J	M	J	N	H	Y

PUZZLE 37

SPORTS EVENT

ATHLETICS	FENCING	POLE VAULT
BASKETBALL	HIGH JUMP	ROWING
CANOEING	HURDLES	TRIPLE JUMP
DECATHLON	JUDO	WALK
DIVING	MARATHON	WRESTLING

W	D	D	E	C	A	T	H	L	O	N	Y	H	N	H
R	T	G	B	Y	H	N	D	I	V	I	N	G	B	I
E	D	C	R	F	V	T	G	B	H	N	H	Y	U	G
S	D	B	A	S	K	E	T	B	A	L	L	K	J	H
T	R	F	V	G	H	U	R	D	L	E	S	D	C	J
L	A	Z	S	L	K	M	I	U	H	Y	G	T	F	U
I	T	Y	H	D	C	V	P	L	W	S	X	D	C	M
N	H	J	M	R	C	V	L	K	R	A	Z	X	M	P
G	L	T	L	U	A	V	E	L	O	P	L	K	A	Z
T	E	E	G	H	N	J	J	M	W	S	X	K	R	T
N	T	Y	H	N	O	I	U	Y	I	J	N	H	A	D
N	I	U	H	B	E	T	M	N	N	H	U	I	T	Y
V	C	E	D	C	Y	U	P	K	G	B	H	D	H	G
J	S	X	S	W	N	Y	H	N	U	J	M	K	O	I
U	J	H	N	M	G	B	N	F	E	N	C	I	N	G

PUZZLE 38

START THE DAY

ALARM CLOCK	MIRROR	STRETCH
BATHROOM	SHOWER	TOOTHBRUSH
BREAKFAST	SLEEPY	TOOTHPASTE
DRESSING GOWN	SLIPPERS	WASH
HAIRBRUSH	SOAP	YAWN

W	R	F	V	T	G	B	D	R	F	T	G	Y	H	U
G	A	Z	S	A	L	A	R	M	C	L	O	C	K	M
H	T	S	X	S	W	D	E	T	G	B	Y	H	N	J
N	O	I	H	U	O	H	S	L	I	P	P	E	R	S
H	O	I	J	N	R	T	S	O	I	U	Y	H	T	T
N	T	B	V	G	O	I	I	H	A	Z	A	R	T	O
J	H	R	T	S	R	T	N	S	O	P	E	T	G	O
N	P	E	D	L	R	T	G	H	H	T	T	G	B	T
G	A	A	Z	E	I	U	G	H	C	O	M	J	U	H
H	S	K	J	E	M	O	O	H	N	B	W	S	X	B
H	T	F	V	P	L	K	W	S	X	D	C	E	D	R
H	E	A	D	Y	A	W	N	G	B	H	N	B	R	U
G	B	S	D	C	H	A	I	R	B	R	U	S	H	S
Y	H	T	U	J	M	X	R	F	T	G	Y	H	G	H
Y	H	N	B	A	T	H	R	O	O	M	N	H	J	M

PUZZLE 39

STORY TIME

ALICE
CINDERELLA
DAME
ELF
GINGERBREAD BOY
GOLDEN EGG
GOOD FAIRY
KING
PIED PIPER
ROSE RED
SNOW WHITE
TOAD
UGLY SISTERS
WITCH
WONDERLAND

G	T	G	B	H	G	T	Y	H	N	J	U	I	K	M
I	U	U	G	L	Y	S	I	S	T	E	R	S	D	C
N	T	G	B	H	N	H	Y	G	T	W	I	T	C	H
G	H	S	T	G	Y	H	G	N	E	D	D	G	P	L
E	D	N	A	G	F	N	C	I	L	M	J	O	I	I
R	T	O	I	L	M	K	I	J	H	D	D	O	E	S
B	N	W	E	D	I	U	N	M	E	D	C	D	D	S
R	T	W	S	N	B	C	D	R	T	G	B	F	P	L
E	D	H	G	Y	H	N	E	D	C	V	B	A	I	U
A	Z	I	U	H	N	S	R	T	G	B	N	I	P	L
D	C	T	Y	D	O	I	E	D	C	X	S	R	E	D
B	V	E	A	R	R	T	L	M	J	U	D	Y	R	T
O	W	O	N	D	E	R	L	A	N	D	C	A	Z	X
Y	T	Y	H	N	B	G	A	Z	S	X	D	C	M	N
G	O	L	D	E	N	E	G	G	Y	H	N	J	M	E

PUZZLE 40

T JUNCTION

TELEVISION	TRAINS	TROUT
TOMATO	TREADMILL	TUBE
TOPIC	TREBLE	TUREEN
TOUCH	TRIBUTE	TWELVE
TRAINERS	TRICYCLE	TYPING

T	G	B	H	T	Y	H	U	J	T	G	H	G	Y	T
R	T	Y	H	N	U	Y	T	U	R	E	E	N	T	O
I	U	R	T	G	B	B	G	T	A	Z	S	X	D	M
C	G	T	O	U	C	H	E	D	I	U	J	M	N	A
Y	H	N	J	U	Y	T	G	F	N	B	G	T	G	T
C	T	T	G	B	T	Y	H	N	E	D	C	N	H	O
L	K	R	T	G	B	V	F	G	R	T	I	U	J	H
E	T	T	E	T	R	A	I	N	S	P	L	K	M	J
B	W	S	X	B	N	H	J	M	Y	T	G	Y	H	U
H	E	D	C	V	L	M	N	T	R	I	B	U	T	E
N	L	H	N	J	M	E	D	C	T	T	G	Y	H	J
N	V	G	T	B	H	N	J	M	N	O	I	J	U	I
N	E	T	R	E	A	D	M	I	L	L	P	M	J	U
T	G	Y	H	G	B	H	N	J	N	H	B	I	U	U
T	E	L	E	V	I	S	I	O	N	M	N	B	C	T

PUZZLE SOLUTIONS

1 AT THE THEATRE

G D C S D T R A P D O O R T G
J A D T Y H U J R T G Y H F V
H N L A Z A Q P O S T E R O I
T Y H L M J K J P N H J M O I
G H H L E R F V S X C S D T Y
Y H E S D R T S C D E P L L K
Y H N A Z X Y C X S E O L I U
S X S W T G B E D C S T A G E
E W C V F R T N B G T L K H N
T Y I U H B E E D C F I U T Y
S D R N B G T R T G B G H S X
T G C F G H Y Y U J M H B G T
H N L N M S X C C U R T A I N
Y H E T G B H N J M J H G T Y
Y O R C H E S T R A T G Y H U

4 BODY LANGUAGE

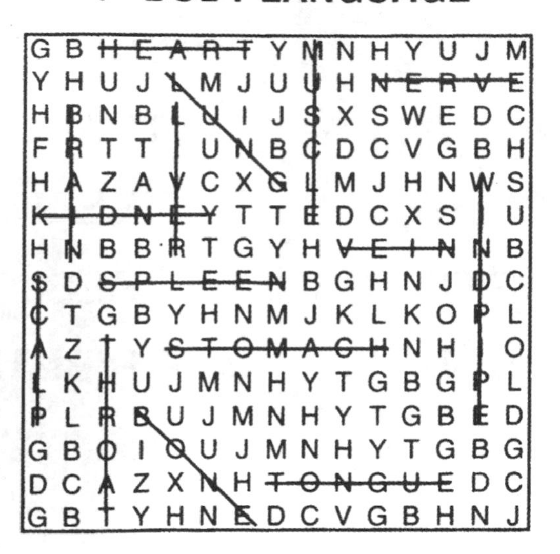

2 BIRDWATCHING

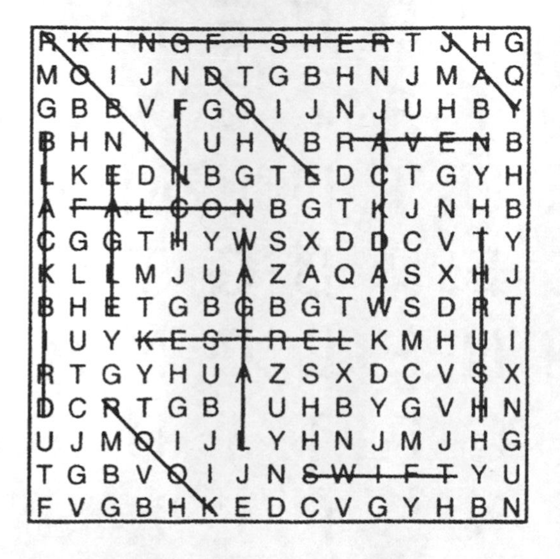

5 CAKE SHOP

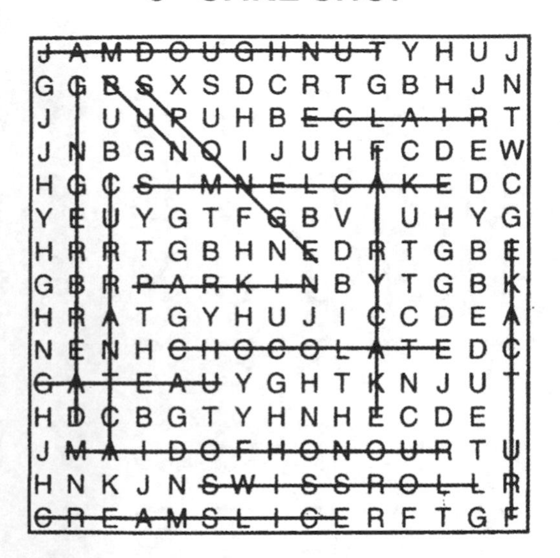

3 BISCUIT TIN

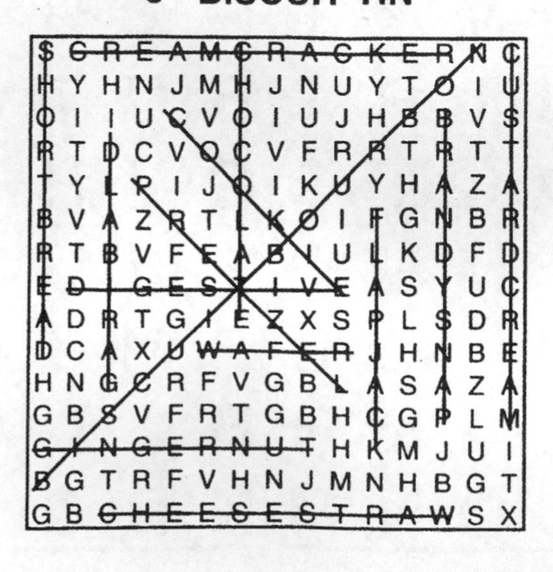

6 CHINESE TAKE AWAY

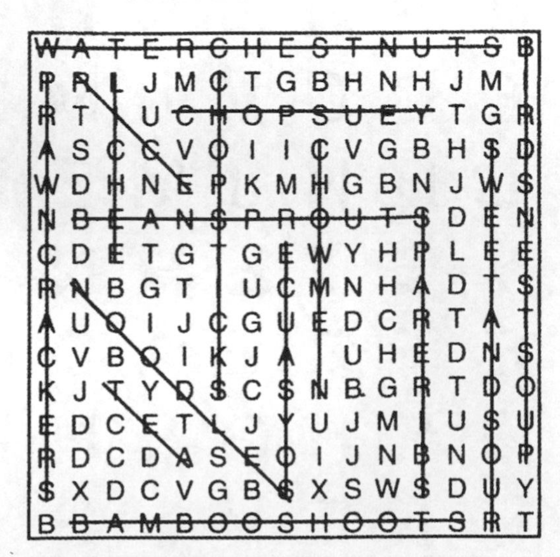

PUZZLE SOLUTIONS

7 CHRISTMAS PARTY

M Y H N J M S X S D C V H N J
C U U M I S T L E T O E O I I
H B S X S W R T G B H N L K S
R T R I F L E T G B H N L M A
I P L K C G A Z A Q W S Y H N
S D A C D E M B A U B L E S T
T Y H R T Y E D C M N H J M A
M N D E C O R A T I O N S X C
A Z A Q R E S T G N M J H N L
S X S W A D L M N C H G B G A
T Y H N C V B S X E T I U H U
R T G B K M J H N P L F V F S
E C A K E S C D E I U T O I J
E C D E R Y H U J E D S D O I
Y H U J S X D C V S C V B G D

10 COUNTRY WALK

8 CLOCK TOWER

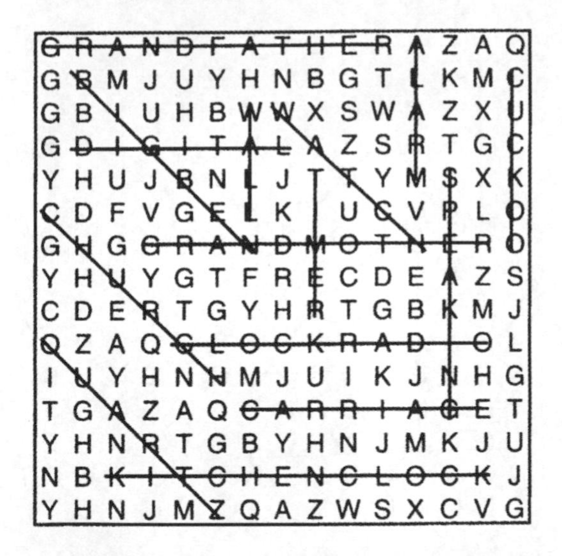

11 CREEPY CRAWLIES

9 COLOUR CHART

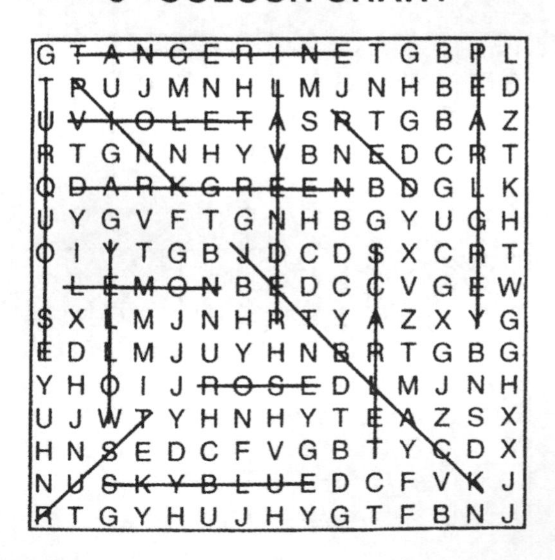

12 CROPS

T G B O I J U H F V G B H N J
H S X S A X S W I U H Y G T F
S D O I J T Y G E R M A I Z E
E D Z W S X S D L U J M N H Y
E D C V I U H B D C V G T C V
D X C C V N H S S D C F V R T
S D G E T Y G T Y H N U J O I
H G B R T G B R W H E A T P L
J A D E R F V A Z S X D C S D
U J Y A Z S X W D S Y H U J H
Y G V L M B A L E H Y G T F D
Y H N S X D C F V E C O R N M
Y H N U J M N H B A Z S X C V
B A R L E Y U J M F V F R T G
U J M N H B H N J H G R A I N

PUZZLE SOLUTIONS

13 ENTERTAINMENT

R	L	B	A	L	L	E	T	C	V	F	R	T	G	B
H	L	M	J	U	Y	H	N	O	C	I	R	C	U	S
G	B	A	Z	A	C	F	V	M	N	H	J	H	I	O
C	G	F	Y	U	I	O	K	E	D	C	M	I	M	E
O	I	J	U	H	N	H	B	D	C	V	G	B	P	L
N	S	H	O	W	E	D	C	Y	H	N	J	M	A	Z
C	D	V	G	B	M	D	A	N	C	I	N	G	N	B
E	D	C	V	G	A	Z	S	X	C	M	N	J	T	Y
R	T	H	E	A	T	R	E	D	C	U	I	J	O	L
T	T	G	B	A	Z	S	X	D	C	S	X	C	M	N
T	G	B	M	N	O	I	J	M	H	I	U	J	I	U
Y	H	A	Z	S	X	P	I	J	N	C	V	G	M	J
H	R	T	G	B	G	M	E	D	C	A	Z	X	E	S
D	O	R	C	H	E	S	T	R	A	L	M	J	N	H
R	T	D	C	S	X	S	D	C	A	Z	S	X	D	C

14 FARM FIND

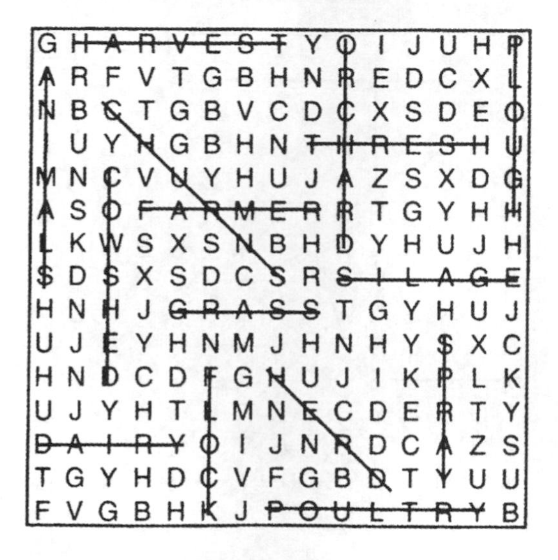

15 FILM SET

16 FLOWER BOUQUET

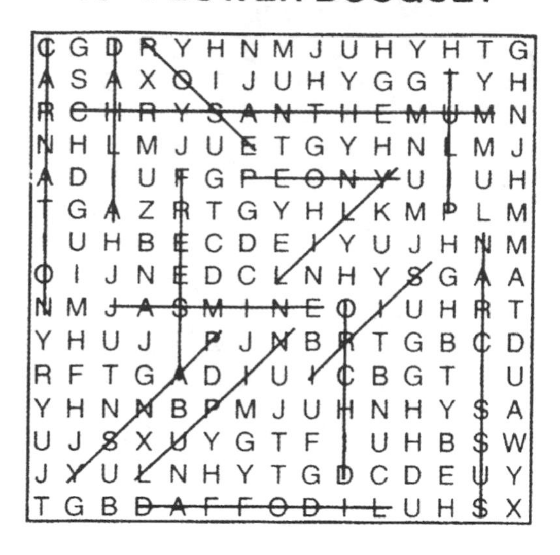

17 FOREIGN CURRENCY

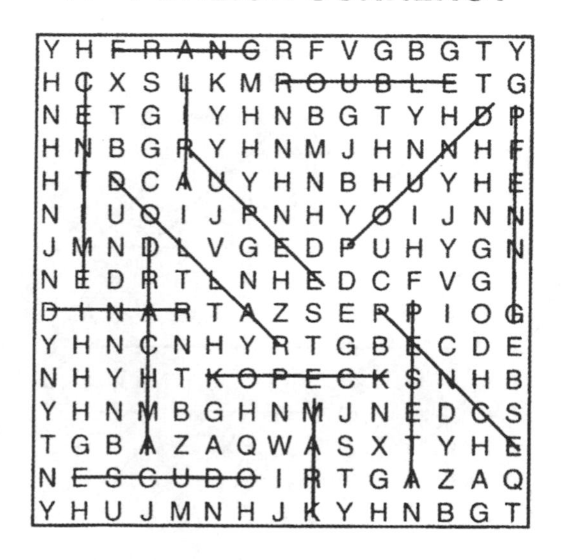

18 GAME PLAN

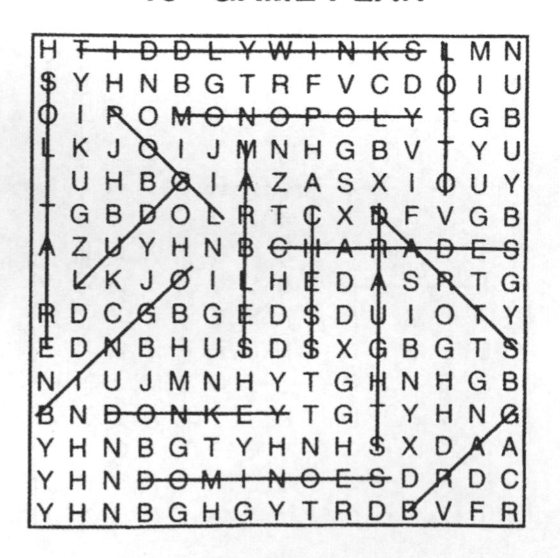

PUZZLE SOLUTIONS

19 HOLIDAY TIME

U	J	T	Y	H	N	M	J	H	N	H	Y	T	S	X
T	G	I	C	V	F	G	U	I	D	E	B	O	O	K
H	N	C	V	O	I	J	U	H	S	X	S	W	U	Y
S	D	K	M	J	A	Z	S	C	G	A	Z	S	V	G
I	U	E	R	F	T	C	G	A	S	X	N	J	E	D
G	H	T	Y	H	C	V	H	M	N	L	K	D	N	J
H	O	T	E	L	R	T	G	E	Y	U	I	J	I	I
T	Y	H	N	B	U	Y	H	R	T	G	B	G	R	Y
S	X	D	C	V	I	U	U	A	D	G	H	N	S	X
E	S	W	I	M	S	U	I	T	Y	A	G	S	U	J
E	S	C	D	E	E	T	G	Y	H	G	H	N	E	T
I	U	U	Y	H	N	J	M	J	H	E	D	C	V	A
N	H	J	N	B	G	P	A	S	S	P	O	R	T	Y
G	T	G	B	Y	H	N	M	N	H	Y	U	J	I	O
G	B	S	W	I	M	M	I	N	G	P	O	O	L	K

20 IMPORTANT LADIES

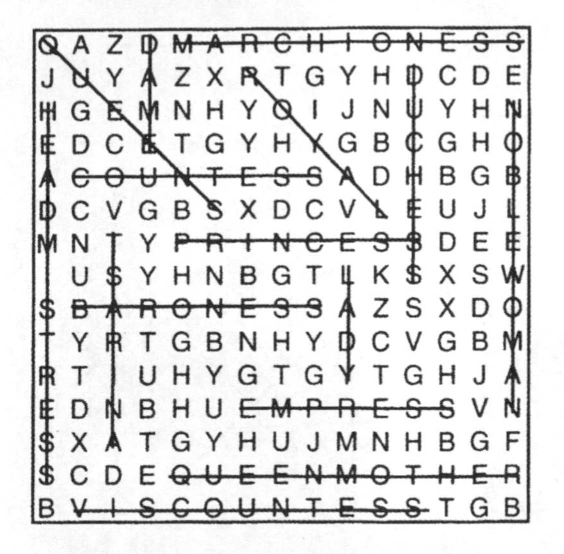

21 IN THE WARDROBE

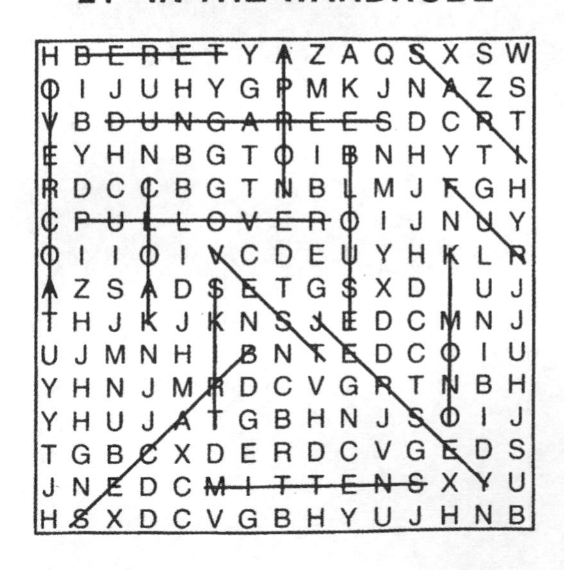

22 INTO SPACE

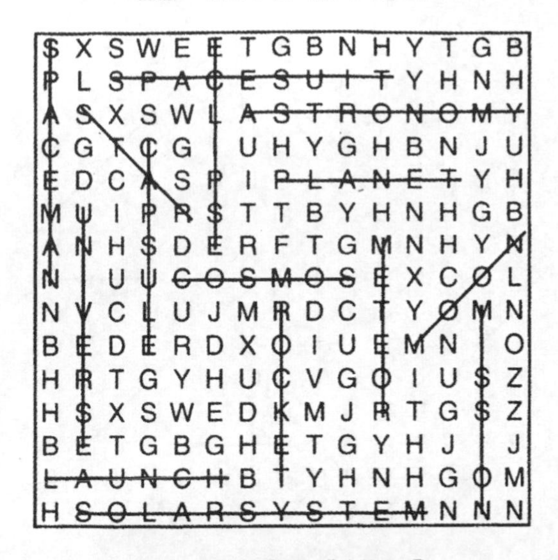

23 JUST GIRLS

24 LOTS OF BOXES

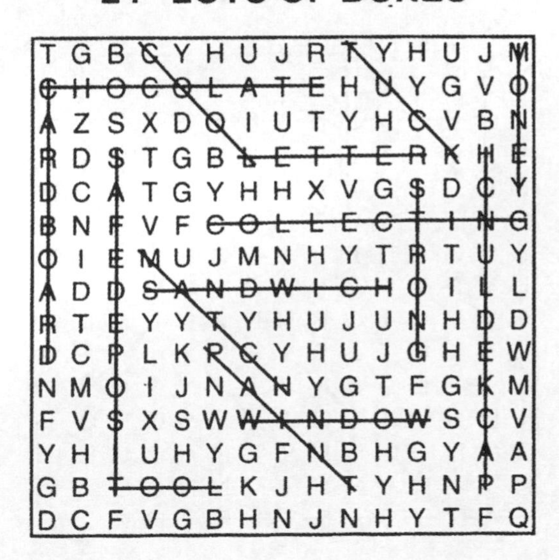

PUZZLE SOLUTIONS

25 MATHS MAZE

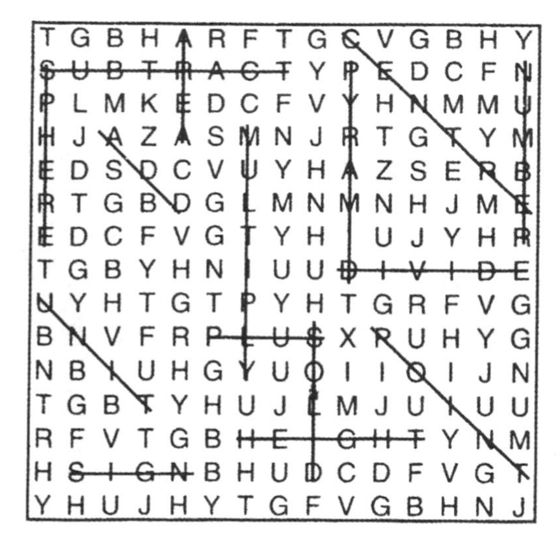

28 OUT SHOPPING

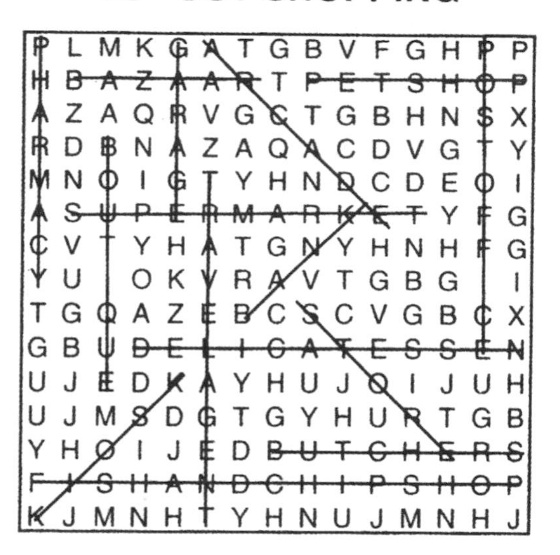

26 NAME GAME

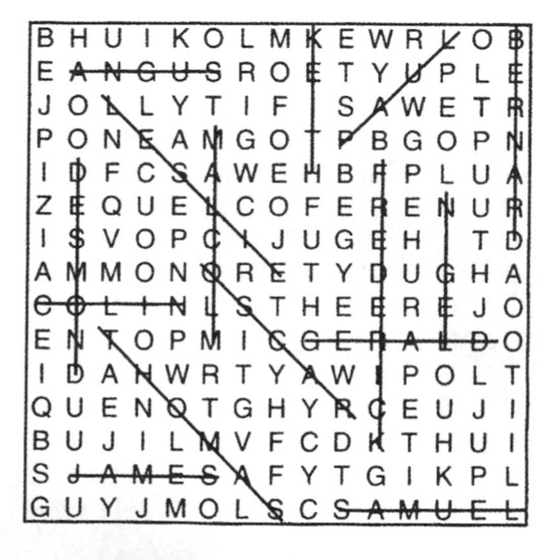

29 PANTO TIME

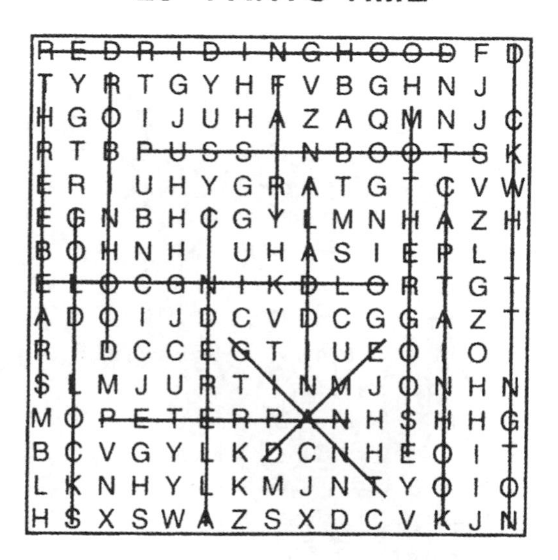

27 ON THE BEACH

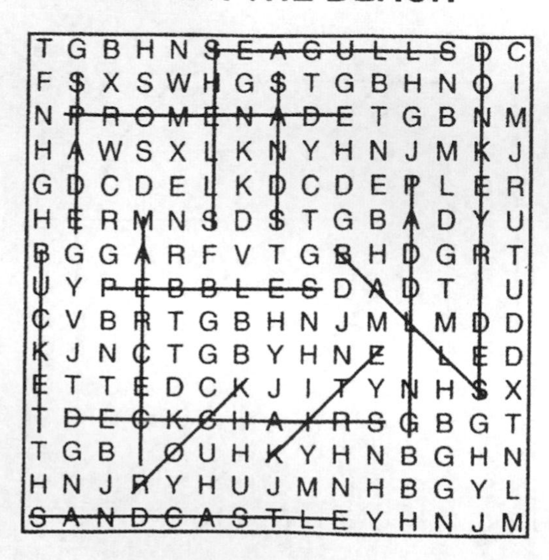

30 PHOTO CALL

PUZZLE SOLUTIONS

31 PONY CLUB

U J S W S X D C O I J N H B G
B G V T Y H N H A D S E D C I
L O K M A Z A Q T F T Y H N R
A D X W S B G H S D I U H B T
C A N T E R L M J U R E T G H
K J N H B O I E D C R T L N B
S X D C V S D C G V U N Y D C
M N J S X E D C F V P L O J M
I U H A D T A I R Y S X X O I
T G B D G T Y H U H Y G T F F
H G B D R E T F G B H N J M J
Y H N L Y H U J M N R E I N S
T G B E D H T G B A Z S X D C
H F O A L M A Q A Z R T G Y H
T G Y H U J H Y T G B E D C V

32 RIVERS WORLDWIDE

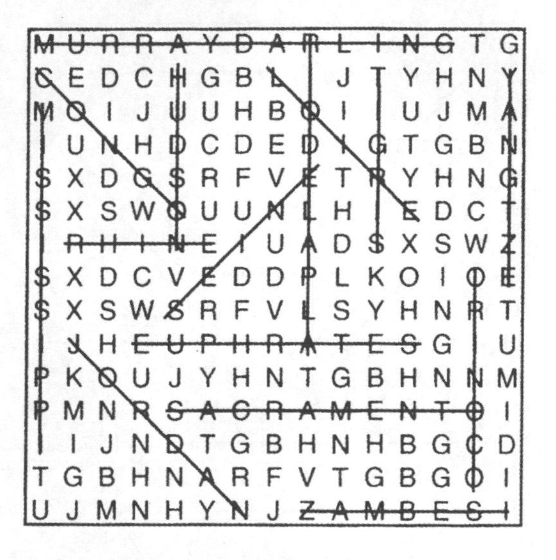

M U R R A Y D A R L I N G T G
C E D C H G B L I J T Y H N Y
M O I J U U H B O I I U J M A
I U N H D C D E D I G T G B N
S X D G S R F V E T R Y H N G
S X S W O U U N L H I E D C T
I R H I N E I U A D S X S W Z
S X D C V E D D P L K O I O E
S X S W S R F V L S Y H N R T
I J H E U P H R A T E S G I U
P K O U J Y H N T G B H N N M
P M N R S A C R A M E N T O I
I I J N D T G B H N H B G C D
T G B H N A R F V T G B G O I
U J M N H Y N J Z A M B E S I

33 SANDWICHES

T G B C H E E S E R E T G Y H
J S D O I J U H Y G F G B G T
H A D R T G B P L K O I G H H
H L M N B G T R T G B T G H Y
H T Y E C D E A C H E D D A R
H B G D C D E W T G B Y H N H
J E D B A C O N Y H N B G T Y
T E G E Y Y S S X S W H A M N
N F V E T S A L A D C D E D C
Y H N F V B L K M R T G Y H U
H S X S D C M N H Y D C F V G
T Y R Y H N O I B V F I U J M
U Y Y A Z S N H R T G B N H H
N M J U M N C H I C K E N E W
A Z S X D C G B E T G B Y H N

34 SCHOOL STAFF

H T G B Y H N H T E A C H E R
E T G B H Y H N M J H N O I I
A N P R E F E C T T Y H N O I
D E D C A Z S X D N N H Y C K
M D I U D E D C D A T Y H A A
I U N M M J L E C T U R E R T
S T N H A Z S X C S T Y H E E
T S E D S D C V G I O U S T Y
R T R Y T I P I J S R T C A T
E D L K E D C U Y S X C H K L
S X A D R T G B P A Z X O E D
S D D T P R I N C I P A L R T
F V I U H B Y G V B L K A Z X
H S E C R E T A R Y U S R T G
G B S Y H N B G T Y H U J I K

35 SEA VOYAGE

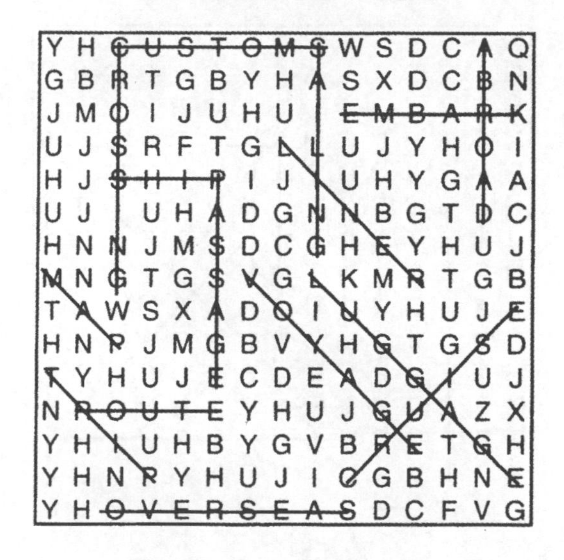

Y H C U S T O M S W S D C A Q
G B R T G B Y H A S X D C B N
J M O I J U H U I E M B A R K
U J S R F T G L L U J Y H O I
H J S H I P I J I U H Y G A A
U J I U H A D G N N B G T D C
H N N J M S D C G H E Y H U J
M N G T G S V G L K M R T G B
T A W S X A D O I U Y H U J E
H N P J M G B V Y H G T G S D
T Y H U J E C D E A D G I U J
N R O U T E Y H U J G U A Z X
Y H I U H B Y G V B R E T G H
Y H N P Y H U J I C G B H N E
Y H O V E R S E A S D C F V G

36 SNOOKERED

T G B Y H N J M N H P L K M N
S P O I N T S R F V L K M A Z
N B T Y H N U J S D A C V X S
O I J A Z S X D T R Y C G I U
O S X D B T G B R T E L K M N
K N C G B L K M O I R E T U Y
E D C O I J E G K J M A D M N
R T G B R D C R E F E R E E D
E D C V B E T S X S W A Z A Q
D C D E C H A M P I O N M J U
F V G B H T Y A D I U C V F R
B I U J N M J T G B D E R F V
F V N A Z A Q C R F V E T G B
G B L A Z X S H O T Y H R T G
N P Y H L Y H N U J M J N H Y

PUZZLE SOLUTIONS

37 SPORTS EVENT

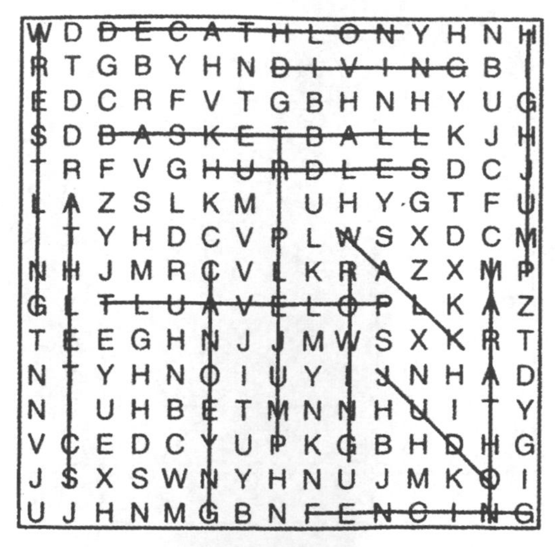

38 START THE DAY

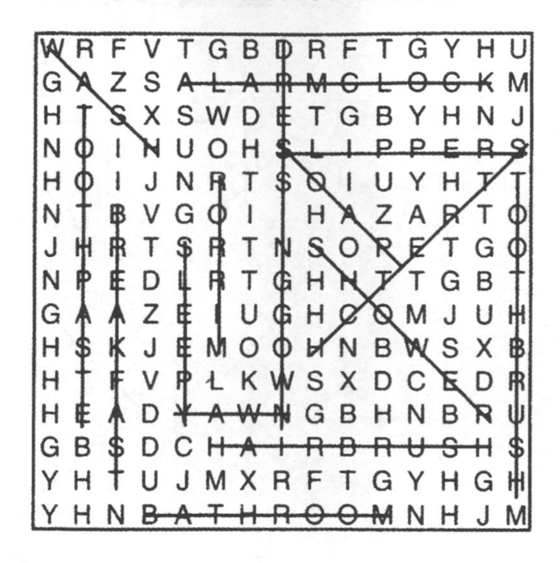

39 STORY TIME

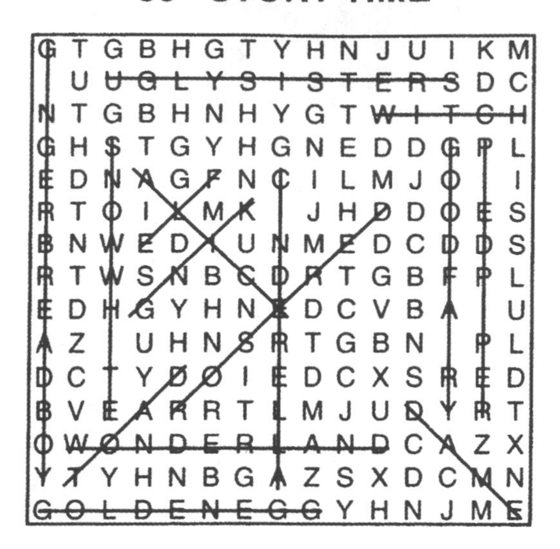

40 T JUNCTION